La clé des songes

Catalogage avant publication de Bibliothèque et Archives Canada

Bergeron, Alain M., 1957-

La clé des songes

(Rire aux étoiles; 1)
(Série Virginie Vanelli; 1)
Pour enfants de 7 ans.

ISBN 978-2-89591-027-5

I. Couture, Geneviève, 1975- . II. Collection. III. Collection: Bergeron, Alain M., 1957- . Série Virginie Vanelli; 1.

PS8553.E674C54 2006 jC843'.54 C2006-940905-6
PS9553.E764C54 2006

Dépôts légaux: 3e trimestre 2006
Bibliothèque nationale du Québec
Bibliothèque nationale du Canada
ISBN 978-2-89591-027-5

4339, rue des Bécassines
Québec (Québec) G1G 1V5
CANADA
Téléphone: (418) 628-4029
Sans frais depuis l'Amérique du Nord: 1 877 628-4029
Télécopie: (418) 628-4801
info@foulire.com

Les éditions FouLire remercient la Société de développement des entreprises culturelles du Québec (SODEC) pour son aide à l'édition et à la promotion.

Gouvernement du Québec – Programme de crédit d'impôt pour l'édition de livres – gestion SODEC.

Les éditions FouLire remercient également le Conseil des Arts du Canada de l'aide accordée à leur programme de publication.

IMPRIMÉ AU CANADA/PRINTED IN CANADA

SÉRIE VIRGINIE VANELLI 1

ALAIN M. BERGERON

La clé des songes

Illustrations
Geneviève Couture

À ma belle Élizabeth!

CHAPITRE 1

Une autre nuit mouvementée

Cette nuit-là, comme les autres nuits d'avant, Virginie Vanelli se réveille en sursaut. Le cœur battant, la respiration saccadée, elle bondit hors de son lit pour s'élancer vers la chambre de ses parents. Même à la veille de ses dix ans, elle éprouve le besoin urgent d'être réconfortée par eux.

Elle fonce dans le couloir sans prendre le temps de réfléchir. La noirceur la terrorise depuis toujours. Elle ferme la porte à son imagination, qui veut la bombarder de formes menaçantes jaillissant de tous les coins de

sa maison. Mais le corps qu'elle frappe de plein fouet est, lui, bien réel ! Sous l'impact, elle tombe sur le plancher. Elle hurle à en fracasser les vitrines de tout le quartier.

– Hiiiiiiiiiiiiiiiiiiiiii !

Nerveux, son père tente de la calmer.

– Virginie ! Virginie ! C'est moi ! Papa ! C'est papa !

À tâtons, il repère le commutateur de la salle de bain, d'où il vient de sortir. Une faible lumière jaillit, et Virginie reprend son souffle. Elle voit l'homme devant elle, à demi vêtu d'un pantalon de pyjama, une partie du visage dans l'ombre. On distingue avec peine la barbe mal rasée, les cheveux hirsutes.

« Non, cet individu n'est pas mon père adoré », pense Virginie.

Elle recommence à crier.

Bingo, le chien de la résidence Vanelli, un affreux et vieux beagle, se traîne jusqu'à eux, alerté par le boucan. Il pousse de longs aboiements.

À son tour, la mère de Virginie se précipite dans le couloir pour savoir ce qui, diable, peut bien s'y dérouler. Elle rate son entrée en scène et cogne durement son nez contre le derrière de la tête de son mari. Celui-ci trébuche alors sur le chien à ses pieds, qui multiplie les *kaï-kaï-kaï* sans bouger pour autant. Le père de Virginie s'écroule à côté de sa fille.

Reniflant pour empêcher le sang de couler de son nez, la mère a la présence d'esprit d'ouvrir la lumière dans le couloir. Elle jette ainsi un peu de clarté et de silence sur la situation.

Le père se redresse et aide sa fille à se remettre sur pied. Les trois membres de la famille Vanelli se regardent un moment, puis ils s'esclaffent ! Bingo, le beagle, manifeste sa joie en branlant la queue.

– J'ai fait un autre cauchemar, mais je l'ai oublié, avoue Virginie.

– Je suis désolé de t'avoir effrayée, ma chouette. J'étais à la salle de bain pour un pipi. J'avais laissé la lumière fermée pour ne pas te réveiller.

Il est 2 h 38 du matin. Cette nuit-là, comme les autres nuits d'avant, Virginie se réfugie dans le lit de ses parents, avec sa mère. Aux yeux des élèves de sa classe, elle passerait certes pour un bébé-la-la-à-sa-maman. Mais ses cauchemars sont terribles. Et puis, personne chez les Vanelli n'irait répandre la nouvelle à l'école, après tout! Sauf, peut-être, son adolescent de frère, Hubert. Mais il hiberne pour la nuit à poings fermés.

Son père préfère s'étendre dans le lit de Virginie. Il ne peut supporter les ronflements combinés de sa fille et de sa femme dans une même pièce.

– Ah... ces cauchemars! soupire-t-il.

Les yeux fermés, le père se remémore un épisode en particulier : Virginie paraissait enfin dormir d'un sommeil paisible. Il s'est approché d'elle. Dans un élan de tendresse paternelle, il a voulu déposer sur sa joue un doux baiser. Pourquoi a-t-elle ouvert les yeux à ce moment-là ? Il ne peut se l'expliquer, mais il en a presque eu le nez fracturé d'un coup de front de Virginie ! De peur, elle s'est redressée subitement à la vue de cette silhouette sombre penchée sur elle.

« Finalement, se dit-il, je m'en sors sans trop de dommages cette nuit. »

Sentant le sommeil le gagner, il prend mentalement une note : il faudra discuter à nouveau avec sa femme de solutions concrètes pour le problème de Virginie. Car leurs nuits ne sont pas de tout repos...

CHAPITRE 2

Double V ou W

Rien ne justifie les cauchemars réguliers de Virginie. Elle est aimée de ses parents. Elle a plein d'amis. Elle excelle à l'école, même qu'elle est le chouchou de sa professeure de quatrième année, Manon Comtois. Elle ne dévore pas de tarte au chocolat avant de s'endormir. Elle ne visionne pas de films d'horreur ; elle les a, justement, en horreur. Chaque soir, avant de fermer sa lumière, elle se plaît à lire pour se détendre. Bref, tout est en place pour que ses nuits soient paisibles. Or, elles ne le sont pas !

Le pire, c'est que Virginie semble incapable de se souvenir de ses mauvais

rêves. Ses parents ont laissé sur sa table de nuit un cahier et un crayon, pour qu'elle puisse, dès son réveil, écrire ses cauchemars, en tout ou en partie. Les pages demeurent désespérément blanches. Qu'est-ce qui cloche dans la vie de Virginie Vanelli pour qu'elle ne connaisse pas une seule nuit tranquille ?

Aucun des spécialistes consultés n'apporte de réponse satisfaisante. L'un prétend que la jeune fille tait un terrible secret. L'autre avance qu'elle réagit à une punition infligée par ses parents. Une dame étrange, recommandée par une vieille tante, affirme même que Virginie, angoissée, est replongée dans des épisodes tragiques de sa vie précédente.

Avec des nuits aussi agitées et un sommeil si peu réparateur, forcément, les conséquences se manifestent les journées suivantes.

Parfois, comme en ce moment même, pendant la classe, Virginie s'assoupit. Si elle a de la chance, elle est réveillée en douceur par son voisin de pupitre et ami, Manseau Grégoire. À l'insu de l'enseignante, il secoue délicatement l'épaule de Virginie du bout des doigts.

– Hep ! *Double* V, réveille-toi…

Double V est le surnom affectueux dont Manseau affuble Virginie Vanelli. Elle ouvre les yeux et tente de reprendre sa lecture.

À l'occasion, ses ronflements la trahissent.

Quand le rustre Sylvestre Lebrun le peut, il se charge, avec une joie sadique, de ramener Virginie dans le monde des éveillés. Celui-là ne fait pas dans la dentelle.

– Sors du coma, W!

Ce W prononcé par Sylvestre à l'endroit de Virginie frôle le mépris. Le garçon est trop grossier pour saisir la subtilité du surnom amical *Double V*. D'ailleurs, il aime se moquer du nom de Virginie Vanelli, qu'il transforme en Wirginie Wanelli. Et le fait qu'aujourd'hui ce soit l'anniversaire de naissance de la jeune fille ne fait qu'accroître son plaisir de jouer les trouble-fête.

BOUM!

Sans l'ombre d'un remords, Sylvestre vient de jeter sur le pupitre de Virginie un livre de mathématiques pour la tirer de son somme...

– Bonne fête, Wirginie! ricane-t-il.

Le choc fait sursauter Virginie. Sa chaise se renverse et, du coup, elle se frappe la tête sur le coin du pupitre derrière le sien. Ce n'est pas du gâteau ; elle en voit des chandelles ! Sans oublier qu'elle hérite d'une belle bosse des mathématiques pour ses dix ans et que les moqueries des élèves se multiplient. Des cadeaux auxquels elle se serait bien soustraite...

***

Pendant la soirée, les parents de Virginie lui remettent, à leur tour, des présents pour souligner sa venue au monde. Assise par terre dans le salon, elle déballe une robe rose, un baladeur et le disque compact de son groupe préféré : *Les Cauchemars éveillés*.

Puis, Hubert, son adolescent de frère, lui offre un disque compact qu'il a copié à partir de l'ordinateur de la maison. Le cadeau n'est pas enveloppé. Il lui administre sa propre version d'un

baiser fraternel : un coup de poing sur l'épaule.

– *The Nightmare of Hollywood*, lit-elle avec une moue de dépit. C'est TON groupe préféré, ça, mon cher Hubby...

– Justement, s'il ne te plaît pas, tu me le redonneras. Je l'ai déjà, mais je pourrais le vendre à un de mes amis, lui dit-il d'un air frondeur.

– Tu aurais pu te forcer un peu, Hubert, lui murmure son père.

– Ben quoi ? s'offusque-t-il. C'est l'intention qui compte...

La mère de Virginie lui apporte trois paquets, emballés, ceux-là, dans un terne papier brun, sans chou ni ruban de couleur pour les égayer.

– C'est de ta grand-mère Valérie, lui précise-t-elle, émue. C'est là ton héritage, que nous devions te remettre pour tes dix ans... On n'a jamais compris pourquoi elle tenait à ce qu'on attende ton dixième anniversaire, d'ailleurs...

– Quelle femme bizarre, ta grand-mère Valérie, ajoute son père.

Hubert pousse un soupir d'agacement.

– Sans doute des trucs *érotiques*, j'imagine.

– *Ésotériques* ! s'empresse de corriger sa mère.

Du bout des doigts, comme si elle craignait ce qu'elle va découvrir, Virginie ouvre le premier cadeau.

– Un capteur de rêves !

– Pour mettre à ta fenêtre et attraper tous tes cauchemars, explique son père.

– Il n'aura pas le temps de s'ennuyer, se moque Hubert.

Le deuxième cadeau cache un pyjama beige, d'une seule pièce, avec de larges boutons sur le devant, du cou à la taille. Du côté cœur sont brodées en lettres dorées les initiales VV.

– W? Pourquoi W? interroge son frère.

– Il est rapiécé, constate Virginie avec étonnement, en ignorant la question stupide d'Hubert.

Enfin, du troisième cadeau, une boîte carrée de modeste dimension, elle tire une... peluche.

– Un hippopotame... mauve? remarque-t-elle, incrédule.

– Lis l'inscription sur sa poitrine, lui propose sa mère.

«*Gardien de tes rêves*»

– Me voilà rassurée, marmonne Virginie avec une grimace.

CHAPITRE 3

Une peluche volante

Virginie se réveille brusquement. Un bruit strident l'agresse. Quelque chose a changé. C'est le matin. Elle s'assoit dans son lit. Elle tient contre elle son hippopotame mauve. Avec dépit, elle l'abandonne sur le plancher. Elle parvient finalement à identifier le bruit : la sonnerie de son réveil. Elle tend le bras pour le fermer, comme ça ne lui est pas arrivé depuis des lustres.

Elle s'étire, engourdie de sommeil. Elle se sent aussi reposée que si elle avait dormi vingt-quatre heures sans interruption. Quoi ? Les trucs ésotériques de sa grand-mère Valérie – le capteur

de rêves, le pyjama et l'hippopotame mauve – fonctionnent ? Vraiment ?

Elle n'a pas de souvenirs de sa nuit passée, mais elle éprouve cette agréable impression de n'avoir fait aucun cauchemar. Toute fière, elle se lève, replace son pyjama un peu froissé et se dirige vers la cuisine. Elle est accueillie par des applaudissements et des sourires de ses parents. À leur mine réjouie, elle comprend qu'eux aussi ont connu une bonne nuit.

Même son adolescent de frère n'affiche pas sa tête de déterré. Le nez dans ses céréales, il grogne en guise de salutation. C'est, pour Virginie, une grande surprise ; d'habitude, il l'ignore carrément.

Oui, quelque chose a changé ce matin chez les Vanelli.

– Dépêche-toi, ma chérie, annonce sa mère, en désignant l'horloge dans la cuisine.

Il est 8 h 02.

– Je vais être en retard ! s'énerve Virginie, sortant de table avec un morceau de banane dans la bouche.

Une fois dehors, elle réalise à quel point les couleurs de la nature sont vives. Jamais encore le vert du gazon ne lui a paru aussi... vert ! Même le marron du tronc d'arbre, devant la maison, semble avoir été peint à l'huile.

– C'est trop beau ! Je crois rêver ! s'exclame-t-elle.

– C'est peut-être le cas, note une voix caverneuse derrière elle.

Virginie pousse un cri de surprise. Volette autour d'elle... sa peluche ! Son hippopotame mauve ! Sa queu tournoie à une vitesse folle, telle ur hélice qui le maintient en l'air. Sc cadeau d'anniversaire s'est anir comme par magie. Peut-être la ma de sa grand-mère Valérie ? Les grar yeux de la peluche, vides de vie tout à l'heure, brillent de plaisir. Le toutou sourit à pleines dents, bien qu'il n'en ait que deux sur sa mâchoire du haut et autant sur celle du bas.

– Tu voles et tu parles ! s'étonne-t-elle.

Elle tend la main et la peluche s'y pose avec douceur. Virginie n'est pas effrayée. Elle ne saisit pas ce qui se passe, mais la scène la ravit.

– Bonjour, Virginie ! lance une autre voix, au-dessus de sa tête.

– Manseau ? Mais... qu'est-ce que tu fais là ? demande-t-elle à son ami, assis sur une haute branche de l'arbre.

D'un geste vif, elle cache sa peluche dans son dos. Pas question qu'on la voie en public avec un toutou!

– Je t'attendais, répond-il, comme s'il s'agissait d'une évidence.

– Tu ressembles à Maître corbeau… Il ne te manque que le morceau de fromage dans ton bec! Tu veux que j'aille te le porter?

Manseau éclate de rire.

– Mais non! C'est moi qui descends…

Virginie proteste: il est beaucoup trop haut pour sauter. D'ailleurs, comment est-il monté ? Il n'y a aucune branche basse pour grimper jusque-là.

Les jambes dans le vide, Manseau quitte son perchoir, situé à plus de deux mètres du sol. Il évalue mal son atterrissage. En touchant terre, il perd l'équilibre et son bras gauche heurte violemment le gazon. Il laisse échapper une plainte. Rapidement à ses côtés, Virginie se penche vers lui.

– Je pense que je me suis cassé le bras, gémit-il.

Tout en s'envolant, l'hippopotame s'adresse à elle.

– Virginie ! Prends conscience de ce qui se passe... Tu dois t'en souvenir...

– Quoi ? Je ne comprends pas, grogne-t-elle, plus préoccupée par la souffrance de son ami que par les remarques d'une peluche.

– Eh ! lui signale Manseau. Il y a une sorte de ballon mauve qui tourne autour de toi.

– Je ne suis pas un ballon ! s'offusque l'hippopotame.

Virginie veut lui dire de quoi il en retourne lorsque, à sa grande honte, elle constate qu'elle est vêtue de son pyjama. Un vieux pyjama beige, rapiécé, avec des gros boutons à l'avant… C'est trop pour elle. Rien dans tout ça ne tient debout.

– Comme si…, commence-t-elle pour elle-même.

Décidée, elle se pince violemment le bras. Elle entend une protestation :

– Noooooooooooon !

Tout devient noir. Elle se retrouve dans son lit, en position couchée, et ouvre les yeux. Virginie serre sa peluche mauve contre elle.

– Ce n'était qu'un rêve… Ça avait l'air tellement vrai, confie-t-elle à son hippopotame, avant de réaliser à qui elle s'adresse.

Elle expédie son toutou à travers la pièce; il s'écrase contre la fenêtre close.

– Tu volais mieux que ça tout à l'heure!

Couché au pied de son lit, Bingo, le beagle, se lève péniblement et va chercher la peluche pour la rapporter à sa maîtresse. Son «*Wouf!*» semble vouloir signifier qu'il est encore trop tôt pour jouer! Avant de sortir du lit, Virginie s'empare de son cahier et d'un crayon pour écrire ses souvenirs afin de ne pas les oublier. Le bras cassé de Manseau... Est-ce le droit ou le gauche? Elle n'en est plus sûre.

Elle résume le tout en un paragraphe et inscrit la date.

***

À la table, au petit-déjeuner, Virginie st en verve. Elle est tellement excitée s'être souvenue, finalement, d'un cauchemar qu'elle veut le raconter aux membres de sa famille. Une fois son récit terminé, elle explique à ses parents que des indices lui ont permis de découvrir qu'elle était bel et bien en train de rêver.

– L'hippopotame volant? croit son père.

– Ton pyjama beige? tente sa mère.

– Non, dit-elle en décochant un coup d'œil à son frère, le nez dans son bol de céréales. C'est parce qu'Hubby était gentil avec moi. Alors, ou bien c'était de la science-fiction, ou bien c'était un rêve…

Son adolescent de frère ne relève même pas l'insulte. À peine soulève-t-il un sourcil, désireux d'ignorer sa cadette.

Le téléphone sonne et Virginie s'empresse de répondre.

– Manseau ! Comment vas-tu ? J'ai rêvé de toi et...

À l'autre bout du fil, son interlocuteur l'interrompt. Virginie en échappe presque le combiné.

– Qu... quoi ?

Avec un soupir, Manseau répète, même si son amie a parfaitement compris. Hébétée, elle raccroche au bout de quelques secondes. Elle se sent observée par ses parents. Même son frère s'intéresse à elle.

– Que se passe-t-il, ma chérie ? interroge sa mère.

– Man... Manseau n'ira pas à l'école aujourd'hui. Il s'est fracturé le bras gauche en dégringolant de son lit à deux étages...

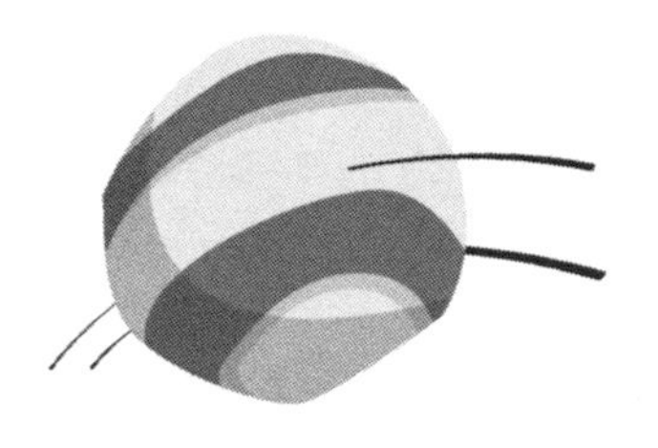

CHAPITRE 4

Attention !

Sans Manseau, Virginie a le sentiment que la journée ne finira jamais. Elle ne cesse de penser à son rêve, un rêve prémonitoire, l'informe la professeure lorsqu'elle lui pose la question. Elle évite toutefois d'en dévoiler les détails. Car ce n'est pas exactement la même chose qui s'est déroulée dans son rêve à elle et dans la vraie vie de Manseau. Mais le résultat est identique : un bras cassé...

Un coup de fil de son ami, en soirée, la rassure quant à son état de santé. Il n'a pas besoin d'opération. Un plâtre fera l'affaire. Il la verra demain à l'école.

Une fois ses leçons et ses devoirs terminés, Virginie souhaite une bonne nuit à ses parents et referme la porte de sa chambre derrière elle. La vue de son hippopotame mauve dans la gueule de Bingo le chien l'incite à enfiler de nouveau le pyjama de sa grand-mère Valérie. Jetant un coup d'œil à son capteur de rêves, elle se couche dans son lit et blottit son visage contre la peluche, la tête entre ses deux oreillers.

– Pouah ! Tu sens le chien ! Tant pis... Allez ! Faites-moi bien dormir, sinon vous finirez aux ordures ! ordonne-t-elle, les yeux fermés.

***

La porte de la chambre de Virginie s'ouvre avec fracas. Sa mère, affolée, tape de son doigt sur le verre de sa montre, produisant un agaçant *tic-tic-tic-tic-tic*.

– Tu vas être en retard à l'école ! se plaint-elle.

Elle lui balance ses vêtements et ouvre les rideaux pour que pénètrent les rayons du soleil.

– Quoi ? dit Virginie, la bouche pâteuse.

Cinq minutes plus tard, encore somnolente, elle marche vers l'école, croquant une pomme. Soudain, les yeux de Virginie s'éclairent : elle aperçoit Manseau qui vient à sa rencontre. Le bras gauche dans le plâtre, il lui envoie la main… droite !

– Ton oreiller est imprimé dans ton visage, *Double V*, lui signale-t-il.

– Manseau, débute-t-elle en agrippant son bras intact, j'ai rêvé de toi l'autre nuit, avant ta chute du lit… Tu te cassais un bras, mais après être tombé d'un arbre.

La révélation de Virginie surprend Manseau.

– Quel curieux hasard, observe-t-il, songeur.

Elle lui signale également qu'elle a noté son rêve dans un cahier.

– Je te le montrerai, si tu veux…

– Non ! Je te crois, affirme Manseau, soucieux de ne pas contredire son amie.

En mettant le pied dans la cour d'école, le garçon est immédiatement entouré des élèves de sa classe. Feutre à la main, tous et toutes souhaitent signer son plâtre. Virginie s'écarte de l'attroupement, laissant son ami savourer pleinement ses quinze minutes de gloire.

Soudain, elle éprouve l'envie de se pincer pour savoir si elle rêve ou pas.

– Non ! Pas tout de suite ! la supplie une voix caverneuse qu'elle reconnaît aussitôt.

Au-dessus d'elle flotte l'hippopotame mauve.

– Qu'est-ce que tu fais là, toi ? gronde Virginie, approchant son pouce et son index de son bras.

– Attends ! Ne *pars* pas tout de suite ! l'implore la peluche.

La jeune fille vient d'obtenir la réponse à sa question. L'apparition de l'hippopotame volant lui confirme ses doutes… ça et son pyjama beige d'une seule pièce !

– Seigneur ! soupire-t-elle. Je n peux pas croire que j'allais à l'éc vêtue de… *ça* ! Attention !

Un ballon frôle l'hippopotame. Virginie l'évite aussi à la dernière seconde, en inclinant la tête.

Un garçonnet de la maternelle passe près d'elle à la course, le regard soudé sur ce ballon qui n'en finit plus de rouler au-delà de la clôture.

En même temps, une voiture sport de couleur verte emprunte la rue. Conduit par un jeune homme qui porte une casquette, le bolide au moteur vrombissant file droit ·ur le ballon maintenant ·mobile, en plein milieu de ·ie.

Virginie devine plus qu'elle ne voit la suite. Le bambin bondit dans la rue entre deux voitures garées. Un terrible grincement des freins. Un bruit sourd...

Et Virginie se réveille en hurlant toute son horreur.

CHAPITRE 5

Quel curieux hasard !

À son réveil, le matin, Virginie s'empresse de retranscrire cet épouvantable cauchemar. La routine du petit-déjeuner lui apporte un peu de calme. Puis, elle se dirige vers l'école. Chemin faisant, elle rencontre Manseau avec un vif plaisir.

– Aïe ! dit-elle après s'être pincé le dessus de la main.

Devant le regard interrogateur de son ami, elle précise :

– Je voulais m'assurer que je n rêvais pas...

Elle regarde partout, jusque dans les airs, craignant d'apercevoir une peluche volante…

Virginie se confie à son ami au bras plâtré. Elle lui relate d'abord le rêve qu'elle a fait de lui.

– Quel curieux hasard, observe-t-il, songeur.

– Tu as dit les mêmes mots dans mon rêve ! s'exclame Virginie.

Elle reprend ses confidences. Cette fois, elle évoque l'accident du garçonnet au ballon.

– Il s'agit peut-être seulement d'un cauchemar et de rien d'autre, analyse Manseau.

Virginie se souvient d'un détail de son rêve qu'elle n'a pas noté dans son cahier.

– J'allais pour me réveiller – tu sais, [illegible]s mon lit – lorsque ma peluche [illegible]riée d'attendre avant de *partir*…

L'accident est survenu ensuite. Étrange, non? Comme si elle savait ce qui allait se passer et qu'elle voulait m'en avertir...

Des manifestations de joie tirent Manseau de sa réflexion. Dès son apparition dans la cour d'école, il est entouré par ses amis, excités à l'idée de signer leur nom sur son plâtre. Virginie préfère se retirer du groupe.

Les enfants de la maternelle ne sont pas là. Pour eux, les cours débutent à 9 h. Inquiète, Virginie rentre dans l'école au son de la cloche.

Assise à son pupitre, près de l'une des trois grandes fenêtres, elle ne cesse de jeter des coups d'œil à l'extérieur. Elle craint que la séquence de son rêve ne se réalise. Elle consulte l'horloge dans le local. Il est bientôt 8 h 45. Presque au même moment, cinq autobus jaunes déposent une centaine d'enfants dans la cour. D'agitée, Virginie devient énervée, tous les sens en alerte.

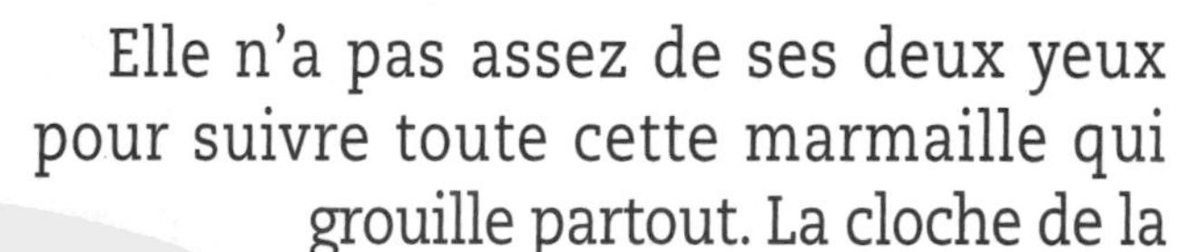

Elle n'a pas assez de ses deux yeux pour suivre toute cette marmaille qui grouille partout. La cloche de la rentrée des maternelles la calme. Du moins, temporairement, jusqu'à la récréation.

À 10 h 09, Virginie est la première à sortir de la classe. En fait, aux yeux de son enseignante, elle paraît bondir de derrière son pupitre pour atterrir dans le couloir. Virginie se met à courir. Une fois dehors, elle a son plan...

CHAPITRE 6

La maternelle Virginie

Au bout de ce qui lui semble une éternité, Virginie voit apparaître Gisèle, la surveillante des maternelles. Elle s'avance vers elle, déterminée, et lui prend les deux bras.

– Est-ce que je peux vous aider à surveiller les Gisèle, madame petit ?

Virginie constate sa méprise.

– À surveiller les petits, madame Gisèle ?...

Autour d'elles s'agglutinent des dizaines d'enfants.

– Bien sûr, répond la dame. Si tu insistes...

– Oui ! J'insiste ! Ça me ferait tellement plaisir. C'est mon côté maternel !

Sans plus attendre, elle balaie le groupe du regard. Il y a des tas de garçonnets, mais elle ne parvient pas à reconnaître celui de son cauchemar.

D'ailleurs, avec désolation, elle constate que le visage du bambin s'est effacé de sa mémoire. Si seulement il avait pu dire son nom en passant près d'elle dans son rêve...

– À quoi on joue ? demande une fillette aux cheveux roux.

– Aïe ! laisse échapper Virginie après s'être pincé le bras.

– Un nouveau jeu ? dit un garçon à lunettes. Ça a l'air amusant... Aïe !

– Aïe ! Aïe ! Aïe !

– C'est drôle quand on le fait aux autres ! claironne un enfant au visage rond comme un ballon.

Les « Aïe ! » se propagent dans la cour des maternelles à une vitesse folle. Ça rit ! Ça crie ! Gisèle se fâche et ordonne que l'on cesse ce jeu. Un enfant lui a pincé une cuisse…

– Jouez au ballon, plutôt ! leur propose-t-elle.

– Nooooon ! s'oppose Virginie, au grand étonnement des autres.

– Pourquoi ? questionne la fillette rousse.

– Parce que… parce que… on va jouer à la marelle et à la corde à danser, suggère Virginie.

– C'est des jeux de filles, ça ! se fâche le garçon à lunettes. Moi, je veux jouer au ballon, bon !

Il est appuyé par les autres garçons et même… par les filles !

– Il vaut mieux sortir les ballons, conseille Gisèle.

Sa nouvelle aide-surveillante n'a pas le loisir de protester : déjà les équipes sont formées. Les ballons circulent… rondement.

Virginie ne sait plus où donner de la tête avec tous ces enfants qui courent d'un côté comme de l'autre. Manseau s'amène à ce moment-là.

– Aïe ! s'offusque Virginie. Qu'est-ce qui te prend de me pincer ?

– Je voulais te convaincre que tu ne rêves pas…

Il affiche un large sourire.

– Très drôle, bougonne-t-elle. Eh ! Attention !

Un ballon se dirige vers eux. Les réflexes aiguisés, Virginie étend les bras et l'attrape. Le garçon à lunettes s'excuse de sa maladresse.

– Ce n'est pas toi qu'on visait, mais la clôture… Je peux ravoir le ballon ?

Virginie songe à son cauchemar. Cet enfant devant elle… est-ce celui qui se faisait frapper par le fou du volant ? En interceptant le ballon, elle a peut-être changé la terrible conclusion de son rêve. Une tonne de pression quitte ses épaules. Quel soulagement !

Elle est sur le point de remettre le ballon au bambin à lunettes quand Manseau avertit :

– Attention !

Cette fois, elle n'y peut rien. Un autre ballon passe bien au-dessus de sa tête, au-dessus de la clôture et rebondit dans la rue. Le garçonnet au visage rond file à sa poursuite. Virginie prend un temps fou – du moins, selon elle – à réagir. Elle espère que la grille de la cour d'école est fermée… Horreur ! Elle est ouverte ! Et l'enfant la franchit…

– C'est lui ! crie-t-elle à Manseau.

Virginie s'élance derrière le bambin, qui court vite malgré ses courtes jambes. Elle a beau le supplier de s'arrêter, il ne ralentit pas.

En sortant de la cour d'école, Virginie entend le bruit d'un puissant moteur de voiture qui approche. Elle ne voit plus le garçonnet. Il va surgir, plus loin, entre deux autos stationnées dans la rue, et elle n'aura pas le temps de le sauver. Ce véhicule, qu'elle sait de couleur verte sans même l'avoir aperçu, passera d'ici peu devant elle et sera incapable de freiner à temps.

À moins que...

Le ballon toujours en main – celui qu'elle a intercepté quelques secondes auparavant –, elle se précipite dans la rue. La voiture est presque sur elle. Sans hésiter, elle envoie le ballon directement sur le pare-brise du bolide. Le conducteur applique durement les freins et l'automobile tangue dangereusement vers elle. Virginie se jette sur le trottoir tandis que le véhicule s'immobilise quelques mètres plus loin.

Inconscient du danger qui aurait pu lui coûter la vie, le petit au visage rond récupère son ballon. Gisèle le prend dans ses bras et le ramène dans la cour des maternelles.

Le jeune conducteur à casquette bondit hors de sa voiture en injuriant Virginie, plantée comme une statue sur le trottoir. Il examine son pare-brise et cherche, en vain, une fissure causée par le ballon. Furieuse, Virginie pointe du doigt un panneau :

– Trente maximum ! Ce n'est pas le nombre d'enfants que vous pouvez écraser dans une année ! C'est la vitesse maximale en kilomètres à l'heure, monsieur !

Celui-ci reprend place dans son véhicule, lève un poing menaçant à l'endroit de la jeune fille qui lui fait la leçon et démarre en trombe. Aux côtés de Virginie, Gisèle compose un numéro sur son téléphone cellulaire. Elle donne au policier la marque de la voiture, sa couleur et le numéro de sa plaque d'immatriculation. Puis, elle se tourne vers Virginie, dont les jambes tremblent. Celle-ci saisit toute la portée du drame qui aurait pu se passer sans son intervention.

Gisèle ouvre ses bras. Virginie s'y réfugie et pleure sans retenue.

– Tu as sauvé la vie de l'un de mes petits, lui dit Gisèle, un sanglot dans la voix. Comment as-tu fait? Comment as-tu su?

La nouvelle se répand comme une traînée de poudre. Bientôt, Virginie est entourée de toutes parts. Elle est soulevée sur des épaules de grands de sixième année et est acclamée de tous. Elle est l'héroïne de l'école. Elle a sauvé la vie d'un enfant de la maternelle. Le

petit est lui aussi porté en triomphe. Sauf que lui... proteste!

–Lâchez-moi! Je veux jouer au ballon!

Pour Virginie, le cauchemar est terminé. «C'est une journée de rêve», pense-t-elle.

– Aïe!

Non... elle ne rêve pas!

Épilogue

L'âme en paix, fourbue par toute cette tension et par cette attention dont elle a été l'objet, Virginie se couche tôt ce soir-là. Elle espère retrouver en rêve sa peluche volante. Pas pour rien qu'elle a encore mis le pyjama de grand-mère Valérie !

– Pssst !

Intriguée, elle allume la lumière sur sa table de nuit. Il est 23 h 30.

– Ici ! Ici ! répète la voix.

La peluche n'est plus sur le lit, mais bien assise sur l'écran d'ordinateur.

– Ah ! dit Virginie avec un sourire. Le gardien de mes rêves…

Soudain, une pensée assombrit son visage.

–Tu es là pour m'annoncer une nouvelle catastrophe?

L'hippopotame mauve s'envole, propulsé par sa queue tournoyante.

– Mais non! Seulement pour te souhaiter une bonne nuit...

– Avant, le coupe Virginie, j'ai mille et une questions...

– ...auxquelles je n'ai pas mille et une réponses, l'interrompt à son tour le gardien.

– Réponds au moins à celle-ci: que se serait-il passé si je n'étais pas intervenue?

La peluche lui sourit avec bienveillance.

– On ne le saura jamais. C'était écrit quelque part dans les étoiles que quelqu'un lui sauverait la vie... Parfois, les rêves sont dépassés par la réalité. Heureusement, dans ce cas-ci!

Virginie paraît perplexe.

– Tout ça à cause des cadeaux de ma grand-mère ?

– Tu sais que ta grand-mère Valérie m'appelait Goki ?

– Et qu'est-ce que ça signifie? s'enquiert-elle, amusée par la sonorité du nom.

Goki hausse les épaules.

– Je n'en ai aucune idée... Tu devras le lui demander un jour.

– Il est trop tard... Elle est morte il y a quatre ans, lui rappelle Virginie.

La peluche vole à la hauteur de ses yeux.

– Quand tu voudras lui parler, tu me feras signe. Dans le monde des rêves, il n'y a ni vivant ni mort... Il y a, tout simplement.

Virginie n'est pas certaine d'avoir compris ces paroles. Avant qu'elle puisse demander des explications, Goki poursuit :

– Ta grand-mère ne t'a pas laissé qu'un pyjama, un capteur de rêves et un magnifique gardien ! Tu as aussi hérité de la clé des songes. Ce n'est pas une vraie clé... C'est plutôt un don. Un don précieux qui te permet d'intervenir dans les rêves et dans la vie des autres. La frontière entre les deux mondes est très mince. La clé te permet de passer d'un univers à l'autre. Il te suffit de constater que tu rêves.

– Et une fois *réveillée* dans mon rêve, je fais quoi ? reprend Virginie.

– Ce sera à toi de découvrir des indications sur la mission que tu auras à remplir.

– Une mission ? Une responsabilité ? s'inquiète-t-elle.

– Oui, mais je serai là pour te guider et t'aider, de la même façon que je l'ai fait pour Valérie. Tu es aussi douée que ta grand-mère… Comme toi, elle était âgée de dix ans la première fois où elle s'est *réveillée* dans son rêve. Il te reste bien des choses à accomplir, Virginie Vanelli.

« Rrrrrrrrrrrrrrrrrrrrrrrrrrrr… »

– Qu'est-ce que c'est que ce bruit affreux ? se raidit Virginie, qui en cherche la provenance dans sa chambre.

Goki montre ses quatre dents dans un sourire.

– Ce n'est que toi… Tu ronfles !

Virginie approche de son lit. Elle se voit couchée, la bouche grande ouverte, émettant à l'occasion de terribles ronflements.

– La belle au bois ronflant… C'est le pire de mes cauchemars, dit-elle, navrée. Mes parents m'en avaient parlé… mais c'est la première fois que je me vois et que je m'entends… dormir !

La peluche se pose sur un oreiller. Tapi dans l'ombre, l'affreux beagle des Vanelli s'avance et saisit Goki dans sa gueule. L'hippopotame proteste :

– Laisse-moi tranquille, sale cabot !

– Lâche-le, Bingo ! ordonne Virginie.

Elle réalise son erreur, croyant que l'animal ne peut pas l'entendre… Mais à sa grande surprise, le chien lui obéit et remue la queue. Plus étrange encore, Bingo se dirige vers la Virginie qui rêve, pas vers celle qui dort.

– Tu pues de la bouche ! lui lance Goki, qui s'est éloigné de la bête.

– On dirait qu'il sait où je suis, remarque la jeune fille.

– C'est vrai, reconnaît l'hippopotame mauve. S'il avait meilleure haleine, ce serait un compagnon idéal.

Goki reprend sa place près de la Virginie endormie et lui déplace légèrement la tête pour que le concert de ronflements cesse.

– Ah… c'est mieux ainsi, annonce-t-il en s'immobilisant.

La vie qui dansait dans son regard s'éteint, comme si quelqu'un avait fermé une lumière. Dans le lit, Virginie ouvre ses yeux. Elle a l'impression qu'on a touché son visage. Près de la fenêtre, le capteur de rêves veille au grain. Tout comme l'hippopotame, qui repose doucement contre sa joue. Bingo s'approche pour une dernière caresse – à moins qu'il ne veuille s'emparer de Goki.

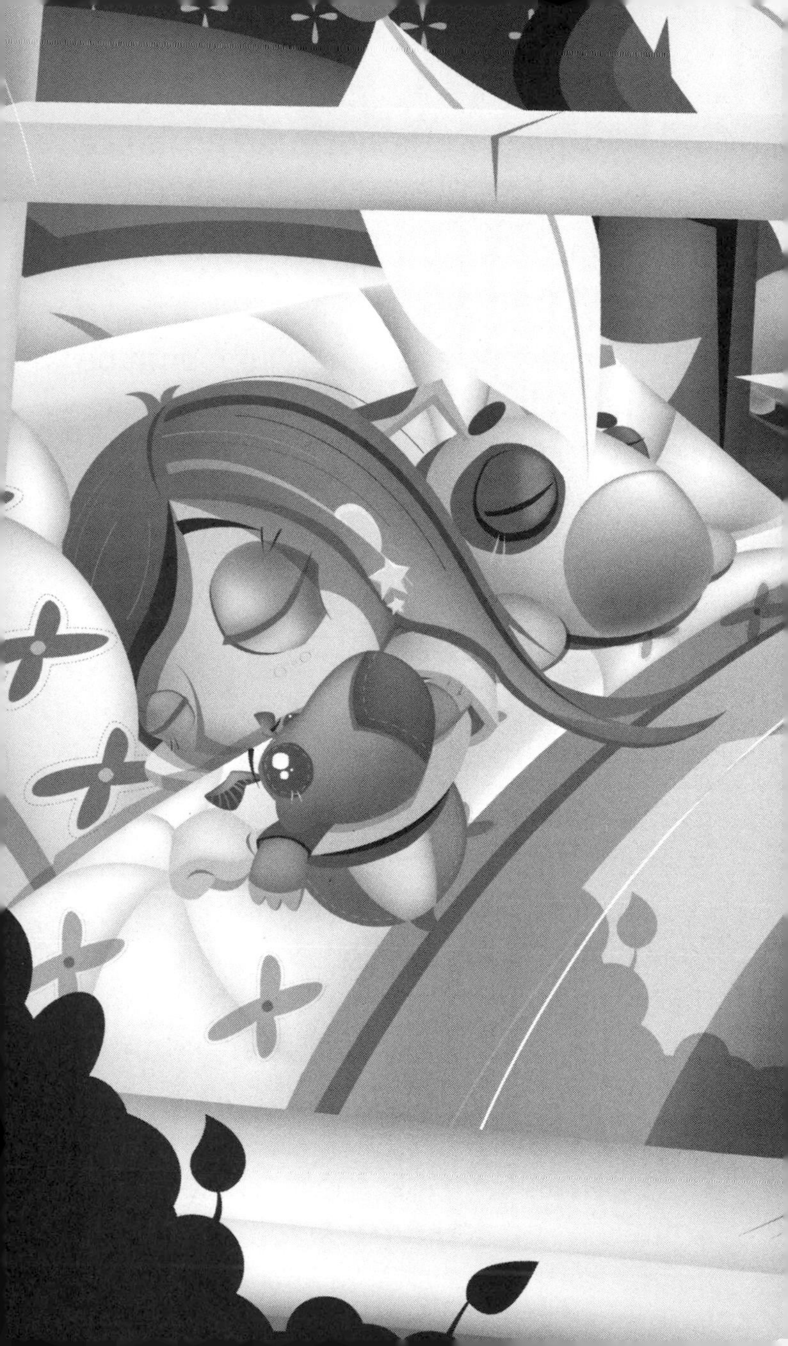

– Faudrait te brosser les dents plus souvent, marmonne-t-elle au chien.

Chaudement blottie dans son pyjama beige, Virginie se tourne sur le côté et replonge dans ses rêveries.

– C'est vrai que tu ressembles à un ballon mauve, Goki, chuchote-t-elle avant de se rendormir.

La nuit sera agréable.

Cette fois-ci...

FIN

MOT SUR L'AUTEUR

Alain M. Bergeron se souvient encore de certains de ses cauchemars d'enfant. Dans l'un d'eux, une horrible sorcière l'avait capturé et l'avait ficelé comme un saucisson avant de le placer dans une marmite qui bouillonnait sur un feu de bois. Elle voulait le faire cuire à point, puis le dévorer. Heureusement pour lui, et pour ses lecteurs, il s'était réveillé avant l'heure du repas! Aujourd'hui, ses mauvais rêves ne sont plus qu'un... mauvais souvenir. Mais comme Virginie Vanelli, quand il est plongé dans un rêve, il a l'impression de se retrouver dans la réalité. Il aimerait bien pouvoir aussi *se réveiller*... juste pour voir ce qui se passerait...

MOT SUR L'ILLUSTRATRICE

Virginie arrive à bien dormir avec son pyjama, son hippopotame et son capteur de rêves ; l'illustratrice Geneviève Couture, pour sa part, a besoin, pour bien dormir, de la présence de... ses trois gros chiens ! Ils sont un peu à l'étroit tous les quatre dans son lit, mais c'est ainsi qu'elle dort le mieux ! Car pour Geneviève, comme pour Virginie, les nuits sont courtes et agitées. Peut-être à cause de tous les films d'horreur qu'elle aime regarder ou de tous les scénarios terribles qu'elle ne peut s'empêcher d'inventer. Mais peut-être aussi à cause de tous ces charmants personnages qui habitent l'esprit de notre illustratrice et à qui ses crayons donnent vie !

Série Virginie Vanelli

Auteur : Alain M. Bergeron
Illustratrice : Geneviève Couture

1. La clé des songes
2. La patinoire de rêve

Série La fée Bidule

Auteure : Marie-Hélène Vézina
Illustrateur : Bruno St-Aubin

1. Méo en perd ses mots
2. Un boulanger dans le pétrin

www.rireauxetoiles.ca

La Joyeuse maison hantée

Mouk le monstre

Auteure : Martine Latulippe
Illustratrice : Paule Thibault

1. Mouk, en pièces détachées
4. Mouk, le cœur en morceaux
7. Mouk, à la conquête de Coralie

Abrakadabra chat de sorcière

Auteur : Yvon Brochu
Illustratrice : Paule Thibault

2. La sorcière Makiavellina
5. La sorcière Griffellina
8. La sorcière Méli-Méla

Frissella la fantôme

Auteur : Reynald Cantin
Illustratrice : Paule Thibault

3. Frissella frappe un mur
6. Frissella ne se voit plus aller
9. Frissellaaaahh !

www.joyeusemaisonhantee.ca

Québec, Canada
2007